El pájaro mosca

Altea

Animales de América

El pájaro mosca

Emma Romeu

Altea

EL PÁJARO MOSCA

© Texto: Emma Romeu, 2002.
© Ilustraciones: Fabricio Vanden Broek, 2003.

© De esta edición:
2006, Santillana USA Publishing Company, Inc.
2023 NW 84ᵗʰ Avenue
Miami, FL 33122
www.santillanausa.com

Altea es un sello original del *Grupo Santillana.* Éstas son sus sedes:

ARGENTINA, BOLIVIA, CHILE, COLOMBIA, COSTA RICA,
ECUADOR, EL SALVADOR, ESPAÑA, ESTADOS UNIDOS,
GUATEMALA, MÉXICO, PANAMÁ, PERÚ, PUERTO RICO,
REPÚBLICA DOMINICANA, URUGUAY Y VENEZUELA.

ISBN 13: 978-970-29-0511-0

Published in the United States of America

Impreso en NuPress

18 17 16 15 14   1 2 3 4 5 6 7 8 9

Pájaro mosca:
Mellisuga helenae

É ste es el pájaro mosca. ¡Es el ave más pequeña del mundo! ¿Cuál es su tamaño? Con las alas abiertas cabe perfectamente dentro de un huevo de gallina. Y con las alas cerradas, en ese mismo huevo podrían acomodarse dos adultos: su hermano y él.

Pero los pájaros mosca no pueden estar dentro de un huevo por más tiempo del que necesitan para que se formen sus cuerpos. Y jamás llegarían al mundo en un huevo de gallina, porque ellos son colibríes, y los huevos de colibríes de esta especie no son más grandes que un frijol.

Estas avecillas son tan pequeñas que a veces, cuando vuelan, se les confunde con grandes abejorros. Pero si uno se fija bien, son fáciles de reconocer, por su cuerpo corto y regordete y su pico alargado y fino.

El pajarito mosca mide alrededor de 6 centímetros del pico a la cola (algo más de 2 pulgadas) y pesa menos de 2 gramos (0.07 onzas). Su nido es más pequeño que la mitad de una pelota de ping pong.

Los machos son de color azul, con tonos de verde iridiscente. Tienen el pecho blanco y la cabeza de un increíble rosado brillante. Las hembras son más grandes y sus plumas lucen un colorido verdeazul muy bonito. Son muy elegantes.

A pesar del diminuto tamaño de estas aves, no hay quien se atreva a decir que no son valientes. Si algún curioso se acerca a su territorio, ellas despegan velozmente y vuelan haciendo maniobras en el aire para que el intruso sepa que no debe avanzar en esa dirección. Si el visitante es una buena persona, seguramente cambiará un poco su ruta para no molestarlos.

A estas aves les gusta posarse en las ramas más altas de los árboles y vigilar el paisaje. Desde allí lanzan al aire un sonidito agudo.

Los pájaros mosca son solitarios. Vuelan, comen y duermen sin compañía, pero se juntan por unos instantes en el aire con su pareja cuando van a tener crías. Luego, la pajarita construye el nido en un lugar seguro más alto que la cabeza de cualquier ser humano.

La hembra hace el nido con pedazos de plantas secas y coloca materiales suaves en el interior. En esta cómoda casa les da calor a sus dos huevecillos blancos, hasta que sus crías rompen la cáscara y asoman su cabeza sin plumas. La mamá protege a sus crías y las alimenta hasta que puedan volar.

Los pájaros mosca sólo existen en Cuba, un bello país del Caribe que tiene una naturaleza muy hermosa. Allá les dicen zunzuncitos a causa de su característico zumbido. Sólo hay que quedarse quieto y escuchar con atención: zummm, zummm, zummm...

A las otras dos especies de colibríes que habitan en Cuba les llaman zunzunes; éstos son más grandes que los zunzuncitos. En otros países, a los colibríes les llaman chupaflores, picaflores, besaflores, chuparrosas y chupamirtos.

A Cuba llegan muchos observadores de aves procedentes de lugares lejanos. ¡Todos quieren contar que vieron al ave más pequeña del mundo! Pero el zunzuncito no tiene tiempo para detenerse a posar. Si alguien tiene suerte y lo avista, con seguridad tendrá que ir detrás de él sin darle alcance de un lado a otro del monte. Siempre es bueno llevar unos binoculares para poder mirarlo aunque sea de lejos.

Hace años, los colibríes más chiquitos del mundo volaban por casi toda Cuba. Ahora muchos bosques han desaparecido, y los pájaros mosca o zunzuncitos no son tan abundantes y sólo viven en algunos matorrales, bosques y ciénagas del país. Si no se les cuida podrían desaparecer.

En el mundo existen 350 especies de colibríes. ¡Y todos viven en América! El más grande es el colibrí gigante, que habita en las altas montañas de los Andes, y es aproximadamente tres veces mayor que el pájaro mosca.

Los colibríes —desde el más grande hasta el más chico— pueden competir con las aves más bonitas. Tienen plumas iridiscentes con fantásticos reflejos metálicos. Y algunos lucen crestas en la cabeza, plumas alargadas en el cuello, y largas y distinguidas colas.

Varias especies de colibríes tienen su casa en las húmedas selvas; otras, en los blanquísimos desiertos; y algunas, en las más grandes ciudades, donde viven millones de personas.

Los colibríes son muy buenos para moverse en el aire. Vuelan de forma tan estupenda que hasta los helicópteros los admirarían. Arriba, abajo, adelante, atrás, rápidos como una flecha y sin mayor sofocación. Dondequiera se detienen sin posarse, se quedan fijos en un punto en el aire, echan un vistazo y parten de nuevo sin dejar de batir las alas a gran velocidad.

¡Suben y bajan las alas hasta ochenta veces por segundo! El movimiento de sus veloces alas no se puede seguir con la vista.

Para volar tan rápido tienen que comer continuamente. Pero necesitan flores en sus territorios, porque en ellas está su alimento.

Incansables, van de flor en flor. Buscan el néctar de las flores pues esas gotitas dulces son muy nutritivas. Y para beber el néctar usan su fino pico y desenrollan su larguísima lengua, que alcanza los lugares más profundos de la flor. Les gustan las flores que tienen forma de tubito, donde cabe bien su pico, por eso visitan las campanillas.

Además, también comen pequeños insectos que encuentran en el aire o en las flores. Y hasta atrapan algunas arañas chicas.

Los colibríes les son útiles a las plantas cuando toman el néctar de sus flores porque en las plumas de la cabeza se les pegan granos de polen. Como no se pueden quedar quietos, de ahí vuelan a otra flor con el polen en la cabeza.

La nueva flor que visitan da sus frutos gracias al polen que le traen los colibríes. Luego, los frutos maduran y caen a la tierra, donde se pudren si nadie los recoge. En la tierra las semillas de esos frutos reciben el rocío de la mañana y la humedad de la tarde. Al poco tiempo les crecen las raíces, un tallo y hojas, y se convierten en nuevas plantas.

Las flores de las nuevas plantas no tardan en abrirse. ¡Más alimento para los colibríes!

Otros mensajeros de las flores son las abejas, las avispas, las mariposas, algunas moscas y ciertos tipos de murciélagos.

Muchas mariposas van de flor en flor, y no les importa su forma ni color. Pero los colibríes prefieren las flores de colores vistosos, como el rojo o el anaranjado. ¿Que sean flores con olor? Eso no les importa, porque parece que ellos no tienen muy buen olfato.

Un peligro para los colibríes son los leñadores furtivos, quienes cortan los árboles sin permiso. También las personas que meten sus dedos indiscretos en los nidos. ¿Cómo hacerles entender que hay que cuidar todo en el bosque?

Otro peligro son los incendios forestales. Cada vez que hay uno, los colibríes tienen que huir rapidísimo.

Cuando termina el incendio, ya no hay flores para los colibríes, ni están los viejos árboles y arbustos que los protegían, ni las ramas que necesitan para hacer sus nidos. Como les ha pasado a otros animales del bosque, los colibríes se han quedado sin casa. ¡Sólo hay cenizas y carbón!

Pero llegan las lluvias y las plantas empiezan a reverdecer. Las flores aparecen y los colibríes se ponen de fiesta.

Entonces el pajarito mosca mueve su cola, bate las alas y se pierde de vista, porque es la hora de buscar alguna campanilla roja donde poder almorzar.

Y como el pajarito mosca es tan pequeño, sobre él se escriben cuentos muy cortos, como el que sigue...

Un cuento:
El colibrí que quería ir a la fiesta

Una vez un pájaro mosca quería ir a la fiesta de las aves
más grandes del bosque, pero no podía asistir a causa de su
tamaño. "Tengo que hacer algo para que me inviten", se dijo,
y se alisó las plumas y se paseó en el aire para presumir de
sus bonitos colores iridiscentes. Pero las aves mayores no lo
tomaron en cuenta. Entonces el pequeño colibrí se lustró el
pico, se posó en una rama cerca de donde se hacían los pre-
parativos y dejó oír su mejor voz.

El colibrí que quería ir a la fiesta 19

Las aves grandes ni siquiera voltearon para ver de dónde salía la rara tonadilla de zumbidos y sonidos chillones. El pájaro mosca no se dio por vencido y enseguida se puso a hacer toda suerte de ejercicios de vuelo. Sin embargo, nadie le prestó atención a sus increíbles y rápidas acrobacias.

En aquel momento llegó un pájaro carpintero muy asustado. Acababa de caerse una rama y su hijo había quedado atrapado en el nido, que estaba en un hueco del tronco del árbol. No podían llevarle comida porque sólo había quedado un pequeño agujero hasta la boca del nido y sus padres no cabían en él. ¡Si el polluelo no comía pronto, se moriría de hambre!

El pajarito mosca surcó el aire rápidamente. Él era muy pequeño y cabía por el agujero. Así que tomó en sus patas una apetitosa larva y, sin perder tiempo, voló hasta donde se escuchaban los lamentos del polluelo. Y entró y salió con comida del agujero muchas veces, pues el pequeño carpintero era bastante glotón.

Mientras tanto, los padres del polluelo atrapado se apuraban a cortar el tronco alrededor del agujero con su pico. Por fin los carpinteros terminaron su trabajo y rescataron a su hijo. Y el pajarito mosca, cansado y hambriento, se fue a buscar su propia comida de flor en flor.

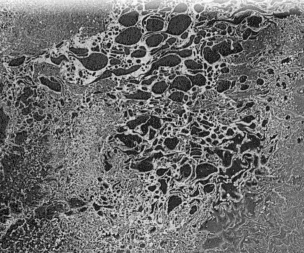

Ese día el pájaro mosca fue el invitado principal a la fiesta de las aves grandes. ¡Todas, sin importar su tamaño, reconocían el valor del pequeño colibrí! Desde entonces, nunca falta una campanilla repleta de néctar para el pájaro mosca en los banquetes más elegantes de las aves del bosque.